Ce livre appartient à :

....

Catalogage avant publication de Bibliothèque et Archives Canada

Loughrey, Anita
L'automne de Cajou l'écureuil roux / Anita Loughrey ; illustrateur,
Daniel Howarth ; traductrice, Claude Cossette.

Traduction de: Squirrel's autumn search.
ISBN 978-1-4431-2293-1

1. Automne--Ouvrages pour la jeunesse. 2. Écureuils--Ouvrages
pour la jeunesse. I. Howarth, Daniel II. Titre.

QB637.7.L6814 2013   j508.2   C2012-905095-4

Publié initialement au Royaume-Uni en 2012 par QED Publishing.

Édition publiée par les Éditions Scholastic, 604, rue King Ouest, Toronto (Ontario)
M5V 1E1 avec la permission de QED Publishing.

Conception graphique : Elaine Wilkinson

6 5 4 3 2   Imprimé en Chine CP141   14 15 16 17 18

L'automne de Cajou l'écureuil roux

Anita Loughrey et Daniel Howarth

Texte français de Claude Cossette

Éditions
■ SCHOLASTIC

Cajou l'écureuil et son petit frère ramassent
des cônes de pin, des baies et des noix.

L'automne est arrivé et il y a de la nourriture partout.

Les ronces épineuses sont
couvertes de mûres : Miam!

On récolte le maïs
dans le champ.

Le petit frère de Cajou s'empare de l'une des noix
et se sauve à toute vitesse.

— Essaie donc de m'attraper! lance-t-il en riant.

Les deux écureuils courent en rond.
Les feuilles colorées tourbillonnent
et étourdissent Cajou.

Cajou poursuit son petit
frère dans les bois.

Mais il constate bientôt qu'il ne
voit plus ni son petit frère
ni sa nourriture.

Cajou espère que son
petit frère ne lui volera
pas d'autres noix!

Mimi la souris sort soudain d'un
tas de feuilles en transportant
un délice d'érable.

Cajou commence à avoir faim.

Il s'est tellement amusé à poursuivre son petit frère qu'il a oublié où il a mis ses provisions.

— As-tu vu ma nourriture? demande-t-il à Mimi.
— As-tu regardé dans le pré? propose la souris.

Cajou cherche dans les hautes herbes du pré.
Il fait claquer sa langue, puis se gratte la tête.

— J'étais certain que ma
nourriture était près d'ici, dit-il.

Martin le lapin sort la tête
de son terrier pour voir
qui fait tout ce bruit.

– As-tu vu ma nourriture?
lui demande Cajou.

– As-tu regardé près de l'étang?
suggère le petit lapin.

Cajou l'écureuil cherche dans les roseaux
au bord de l'étang. Des feuilles flottent sur l'eau.
Cajou renifle l'air et fait claquer sa langue.

— Je suis certain d'avoir enterré
mes provisions près d'ici, dit-il.

Paulette la chouette l'observe
de son perchoir et lui dit :
— N'est-ce pas ton petit frère que
je vois près du vieux pommier?

On dirait qu'il a trouvé quelque chose de délicieux à manger!

Cajou se précipite vers le pommier.

Son petit frère est tellement surpris qu'il
laisse tomber la noix qu'il tenait.

— Pardon, dit-il, mais
j'avais vraiment faim.

— Savais-tu, demande Cajou, que la nourriture a
meilleur goût quand on la partage?

Ils se sourient et mangent ensemble
leur délicieux goûter.

Des activités pour l'automne

Voici des projets simples et amusants
à réaliser avec votre enfant.

Que récolte-t-on en automne? On peut récolter une grande variété de fruits et légumes en automne. Que récolte-t-on dans ta région? Nomme les aliments dont on a parlé dans ce livre.

Faites une promenade automnale. L'automne est la saison idéale pour se promener. Il ne fait ni trop chaud ni trop froid et on peut s'amuser dans les feuilles. C'est aussi le moment de ramasser des cônes de pin et des feuilles pour réaliser des projets de bricolage. Pendant vos promenades, ramassez des feuilles de toutes les couleurs.

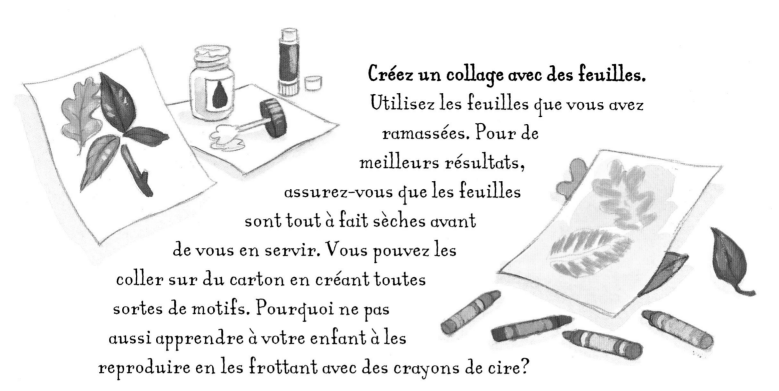

Créez un collage avec des feuilles.
Utilisez les feuilles que vous avez ramassées. Pour de meilleurs résultats, assurez-vous que les feuilles sont tout à fait sèches avant de vous en servir. Vous pouvez les coller sur du carton en créant toutes sortes de motifs. Pourquoi ne pas aussi apprendre à votre enfant à les reproduire en les frottant avec des crayons de cire?

Interprétez l'histoire avec votre enfant. Utilisez du papier, des feutres, des crayons de couleur et de la peinture pour fabriquer les masques de Cajou et de ses amis. Votre enfant se rappelle-t-il les paroles des personnages? Souhaite-t-il reproduire l'histoire du livre ou veut-il l'interpréter à sa façon?

Qu'avons-nous appris sur l'automne?

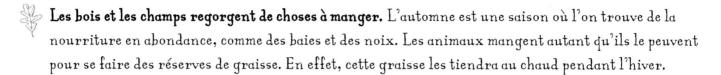

Les bois et les champs regorgent de choses à manger. L'automne est une saison où l'on trouve de la nourriture en abondance, comme des baies et des noix. Les animaux mangent autant qu'ils le peuvent pour se faire des réserves de graisse. En effet, cette graisse les tiendra au chaud pendant l'hiver.

Cajou l'écureuil et son petit frère récoltent de la nourriture. Certains animaux font des provisions à l'automne. Ils les enfouissent dans le sol ou les cachent dans des trous. Ils retournent à ces cachettes pendant l'hiver pour se nourrir.

Le maïs est récolté dans les champs. En automne, les fermiers sont très occupés. Ils moissonnent les champs ou récoltent les fruits sur les arbres. Ils plantent aussi des semences pour l'année suivante.

Cajou pourchasse son petit frère dans les feuilles colorées qui sont tombées. Lorsque les journées se rafraîchissent, les feuilles de certains arbres prennent des tons de rouge, de brun et de jaune. La couleur verte des feuilles disparaît, laissant voir les autres couleurs en dessous. Les vents d'automne arrachent les feuilles séchées des arbres.

Les oies volent au-dessus des bois. À l'automne, certains oiseaux entreprennent une longue migration afin d'aller passer l'hiver dans des endroits plus chauds. Ils reviendront dans leur pays lorsque la température se réchauffera au printemps.